의문

의문

발　행 | 2024년 01월 03일
저　자 | 김유나
펴낸이 | 한건희
펴낸곳 | 주식회사 부크크
출판사등록 | 2014.07.15.(제2014-16호)
주　소 | 서울특별시 금천구 가산디지털1로 119 SK트윈타워 A동 305호
전　화 | 1670-8316
이메일 | info@bookk.co.kr

ISBN | 979-11-410-6371-9

의

문

김유나 지음

CONTENT

이건 단순한 내 일상의 기록이자 언제인지 모를 시기부터
마음속에 자리잡은 의문들에 대한 이야기이다.

제1화 산

우리 집은 햇빛이 잘 들어오는 집은 아니었다. 집 밖으로 한 발짝만 나가면 숲의 울창한 나무 사이로 쏟아져 흐르는 햇빛을 볼 수 있었지만 정작 집 안에서는 그 숲 때문에 노을이 가려지기 일쑤였다.

산을 좋아하게 된 것은 이를 깨닫고 나서였다. 덥고 벌레가 많다며 가기도 꺼리던 산에 시간이 나면 혼자 찾아들게 되었고, 곧 산에 있는 풀들을 알기 위해 책을 찾고 다른 방면의 공부를 시작했다. 내가 집 앞 숲에서 가장 좋아하는 곳으로 가기 위해 지나가는 길에는 작은 개울과 연못이 하나 있는데, 겨우내 얼어있던 물이 녹아 움직이기 시작한 올챙이들과 어느새 주변 흙을 덮은 파란 이끼들을 볼 때면 저절로 미소가 지어졌다. 또 숲에는 작은 공터가 있는데, 높은 나무들이 하늘을 덮어 햇빛은 잘 들지만 해가 직접적으로 모습을 비추지는 않는 곳이었다.

 어릴 적 가족들과 혹은 친구들, 선생님과 함께 열심히 산을 올라 숨을 고르고 다시 뛰어놀던 장소에 어느새 혼자서도 금방 도착할 수 있는 나이가 되어있었다. 나뭇잎 하나하나를 비집고 들어오는 햇빛 조각들, 잘려지고 밟혀 해진 나무 밑동들, 손수건을 염색해 걸곤 했던 나무의 줄, 다 같이 앉아 간식을 나눠 먹던 벤치. 언제나 모두와 함께 활기찼던 공간에 조용해진 숲과 함께 나 혼자 앉아있는 모습은 매번 많은 생각을 하게 해준다. 낮의 숲은 내게 활기와 휴식을 취할 공간을 주었고, 저녁의 산은 보기만 해도 마음이 편안해지고 우울한 일들이 날아가는 풍경을 주었다.

제2화 책

어릴 때부터 읽는 것을 좋아했다.

기억도 나지 않는 시절에도, 엄마가 말하기론 한글을 뗀 이후부턴 보이는 모든 것을 읽으려 들었다고 한다. 7살 땐 매 주말 아침 7시에 귀신같이 일어나 엄마가 깰 때까지 조용히 거실에서 동화책과 위인전을 읽었다고 한다. 초등학교 저학년 때까지도 매 학기 독서 상을 받을 정도로 읽는 것을 좋아했다.

고학년이 되고 조금 잦아드나 싶었지만, 6학년 때 생각 없이 집어 든 집에 있던 책에 충격과 감동을 받게 되고, 이 경험은 내게 잠시나마 소설가라는 꿈을 꾸게 해주었다. 나는 주로 소설이나 에세이, 고전문학 등을 즐겨 읽는 편이다. 가장 좋아하는 책의 종류는 역사소설이다. 한번 한 책에 빠지는 것은 내겐 내 시절의 한 부분을 장식하는 것과 마찬가지인 것 같다. 한 책을 수도 없이 읽어 대사까지 외우게 될 정도로 빠지게 되면 어느새 그 책의 인물들은, 이야기들은 내 안에 들어와 가슴 한 켠에 자리를 잡는다. 시간이 지나 책의 존재를, 내용을, 대사를 잊게 되어도 언제나 그와 관련된 이야기를 들으면 그들이 다시 깨어난다.

특히 역사소설의 경우엔, 일상생활에서 관련된 부분을 접하기 쉬워 그에 대해 배울 때마다 책에 대한 내 이해도가 높아지는 기분이 든다. 어느 나라의 역사던, 당시에 실제 있었던 일을 배경으로 서술되어 있다는 사실은 언제나 나에게 그 사건에 대한 호기심과 동시에 이야기에 완전히 몰입하게 한다.

내가 처음 역사소설을 읽은 것은 5년 전 겨울방학이었다. 시간이 남지만 도서관으로 가는 오르막길에 빙판이 얼어 부모님께 도서관 출입을 금지당했을 때, 엄마의 책장에서 시선이 끌리는 한 책을 발견했다. 한국 역사소설로, 1980년대 광주의 이야기를 담고 있는 책이었다. 당시 역사에 대해서는 전혀 관심이 없던 나였지만, 소설의 등장인물들이 겪는 모든 사건 하나하나가 내게 아주 큰 고통을 주었고, 그 후로 역사소설, 영화 등 여러 매체를 오가며 역사에 흥미를 가지게 되었다.

 책의 등장인물들은 언제나 내게 무언가를 말하고자 한다. 하지만 대부분의 시간에서, 나는 그들의 이야기를 온전히 들어주지 못한다. 아직 경험이 부족한, 생각이 어린 나는 그들의 고통을 완벽히 이해하지 못한다. 그래서 나는 그들의 말 한마디 한마디를, 그들의 인생을 이해할 수 있을 때까지 문장을 곱씹고, 책을 읽는다.

제3화 흥미

 난 새로운 일에 즉각적으로 끌리는 편이다. 조금이라도 좋아했던 일을 할 기회가 생긴다면 주저 없이 잡고, 그 일에 몰두하며 시간을 보낸다. 색칠을 좋아해 몇 달간 집에만 오면 붓을 잡아 작품에만 빠져있었던 적도 있고, 마음에 드는 책이 있어 밤새 그것을 읽다가 혼이 나 본 적도 있다. 그 외에도 그림, 공예, 서예, 인테리어, 인체학, 종교학, 철학, 역사학, 외국어 등 한 분야에 집중해 그 분야에서 내가 할 수 있는 일을 하는 것에 대해 깊게 탐구해 본 적이 있다.

 특징이라면 단지 보는 것이 아닌 내가 직접 무엇을 해야 한다는 것인 것 같다. 놀랍게도 이런 흥미의 대부분은 몇 달 뒤 잠잠하게 사그라들지만, 그 몇 달간 내가 배운 것들은 그 분야에서의 내 기분을 좋게 해주고, 후에 다른 일을 하다가 관련된 이야기를 만나게 되면 괜히 신이 난다. 이러한 흥미들은 굉장히 빠르고 신속하게 내 마음속에 잡힌다. 이것이 한번 형성되면, 그와 관련해 전에 본 적 없던 아이디어와 실행력이 생겨나고 당장이라도 그것을 하고 싶은 마음이 날뛴다.

다만 아쉬운 점은 이 흥미가 불씨 같아서 조금이라도 늦게 시작하거나, 무신경하면 금방 꺼져버리는 것이다. 따라서 좋은 생각은 많지만, 그를 모두 실행할 능력이 없어 매번 아쉽게 끝을 맺곤 한다. 이럴 때마다 나는 미래를 기약하지만, 미래에도 그 생각이 혁신적이고 매력적이라는 보장이 없기 때문에 난 내 생활을 조금씩 고쳐나가기 시작했다. 여러 일에 동시에 흥미를 느끼던 전과 달리 한 가지 일에 집중할 수 있도록 시간을 분배하여 사용하기 시작했고, 열심히 하되 흥미를 잃지 않기 위해 매일 잠시라도 그와 관련된 생각, 계획 혹은 작업을 하기로 시간을 정해두었다.

제4화 여름

어린 시절 여름의 추억은 생각보다 좋았다. 매년 덥다고 불평했지만, 그럼에도 여름에 대한 기억은 언제나 화사하게 남아있다.

 여름의 가장 오래된 기억은 어린이집을 다닐 때 같다. 매주 목요일에 인천대공원의 숲으로 현장 체험학습을 갔었는데, 가장 친한 친구는 매번 가지 않아서 아쉬워했던 기억이 아직도 선명하다. 그래도 막상 가보면 그 누구보다 잘 놀다 온 기억이 있다. 황토색 어린이집 옷을 입고 친구들과 나무를 타고, 흙으로 케이크를 빚고, 그네를 타던 기억은 내 어린이집에서의 가장 큰 추억

중 한자리를 당당히 차지하고 있지 않을까 싶다.

 조금 더 큰 뒤의 기억은 초등학교 저학년 때 같다. 우리 집 거실엔 여름마다 대나무 매트가 깔렸는데, 휴일이면 아빠와 매트에서 뒹굴거리다 낮잠을 자곤 했다. 물론 그때도 덥고 끈적거렸겠지만, 낮잠을 자고 난 뒤 씻고 나와서 저녁을 먹을 때의 기분을 잊지 못한다.

 그 후엔 여름이 친구들과의 추억으로 물들어 있다. 생일이 초여름에 있었고, 다른 친구들의 생일 또한 그 주변에 모여있었기 때문에 내 여름의 가장 큰 이벤트는 언제나 생일파티였다. 생일파티의 기억은 언제나 빛났고, 뜨거운 햇빛 밑에서 친구들과 웃고 떠들며 걸어가고 있었다. 시간이 지나 여러 사연으로, 단순한 사건들로 멀어진 관계에 있는 친구들이라도,

 이런 추억들은 아직도 마치 사진처럼, 생생하게 찍혀있다. 그 뒤로부터는 여름의 기억이 특정 되어있지 않다. 사실 여름의 기억이 없다기보다는 여름보다는 다른 요소들로 인해 분리되어 있다고 보는 것이 맞을 것 같다. 여름의 나는 언제나 학교에서 친구들과 재미있게, 때로는 불평도 하며 평화로이 지냈고 학교에서 학원으

로 향할 때는 뜨거운 햇빛과 높은 온도로 인상을 찌푸려 같은 거리를 걸었다. 나는 점점 자라며 단순히 일상을 반복하며 특정한 기억을 남겨두지 않았다. 한때 내가 가장 사랑하던 계절인 내 여름은 그렇게 다른 일들에 밀려 흐릿해지며 끝나게 되었다.

제5화 소외

세상 모든 것에 소외감을 느낄 때가 있다. 모두가 내 말은 흘려보낸다고 느껴질 때. 아무도 나를 찾지 않을 때. 그 어디에서도 소속감을 느끼지 못할 때. 내가 이룬 것이, 나 자체가 초라하고 작아 보일 때.

내가 눈치를 많이 본다는 것을 깨달았을 때 난 꽤 어렸다. 주변인들의 말 한마디 한마디에 쉽게 동요하고 떨었다. 누구도 나에게 관심갖지 않는다 느꼈다. 사람들이 날 피한다는 느낌을 받았다. 좀 크고 나서는 그럴 때에 피할 수 있는 도피처를 만들었지만, 그 전까지 난 무방비 할 수밖에 없었다. 이유는 잘 모르겠다. 이제와서는 아무리 생각해도 알 수 없었다. 매 순간 내 기분 탓이라 넘기며 날 진정시켰지만, 한번 느끼면 몇달을. 매일 매 순간 느끼며 사는 것은 쉬운 일이 아니었다. 단지 모두가 지쳐있었을 뿐인지도, 내 기분 탓인지도 몰랐지만 난 나에게 수도 없이 이유를 물어댔다.

언제나 행복하고 친구들과 사이가 좋은, 하지만 그 속마음은 나에게만 들려주는 친구가 있었다. 긴 시간동안 우린 하루도 빠짐없이 연락을 주고받았고, 단 한번도 싸운적이 없었다. 그리고 그 친구를 보며 난 깨달았다. 그 아이와 내 세상은 달랐다. 내 도피처는 거짓되었었다. 난 내 마음을 터놓고 친구들한테 말할 수 없었다. 섣불리 말을 꺼냈다가 또다시 누군가가 내 곁을 떠날까 두려워했다.

또래의 다른 아이들처럼 보기만 해도 웃을 수 있는 취미가 없었다. 책읽는것을 좋아했다. 하지만 시간이 지날수록 마음놓고 책을 읽을 수 있는 시간이 줄어들었다. 노래를 좋아했다. 내 마음껏 노래를 부를수있는, 들을 수 있는 공간이 줄어들었다. 내 취미는 언제나 공간과 시간에 영향을 받았고, 난 그것이 눈치 때문이란 걸 그제서야 알았다. 허나 애초에 없던 것이라면 모를

까, 이미 존재해 버린 것을 그 때 없애기는 불가능했다. 그렇다고 이런 사실에 굴복해 내가 좋아하는 것들을 수정하기는 또 싫었다. 내 주위의 공간을 바꿔나가기 시작했다. 내 시간을 바꾸기 시작했다. 대중교통에서의 무료한 시간을 달래기 위해 책을 가지고 다니기 시작했고, 읽은 책을 최대한 오래 기억하기 위해 나름의 기록도 시작했다. 왜 읽기 시작했는지, 마음에 드는 문장은 뭐였는지, 어떤 주제를 말하는 책인지.. 한권 한권 책을 읽고 한 장씩 나의 이야기를 채워갔다. 운이 좋게도, 소외감을 느끼는 날이 줄어들었다. 내가 쓴 기록들을 보면서도 난 책을 회상할 수 있었고, 위로를 얻을 수 있었다.

제6화 퍼즐 조각

 내가 이 이야기를 처음 들은 것은 초등학교 5학년 때였다. 내 기억이 맞는다면, 당시 학생회장으로 출마하였던 같은 반 친구가 공약에서 말 한 비유였을 것이다. '퍼즐 조각은 모두가 모여야 비로소 완성된다.' 물론 시간이 흐르며 내 기억 속에서 말이 왜곡되었을 가능성이 높긴 하다. 그 친구의 입장에서는 단순히 선거에서 친구들을 모으기 위한 문장이었을지도 모른다. 하지만 당시 여러 문제로 고민이 많던 나에게 저 한마디는 매우 큰 충격이었다.

 저 말을 듣고 난 생각했다. 퍼즐 조각이 하나 빠져있어도, 작품은 작품 아닐까? 유명한 작가들의 작품이 단순히 한 조각이 빠졌다 하여 완성되지 못하였단 이유로 질타를 받는 상황은 상상하기 어려웠다. 수년 동안 이 한마디에 대해 많이 고민해 왔다. 그렇다면 퍼즐은 한조각이 비어도 작품이라 불릴 수 있다는 말인데, 그럼 퍼즐이 완성되지 않은 작품일 때에는 쓸모가 없는 것인가? 사람들은 흔히 작품을 보기 위해 시간을 쓰고, 돈을 쓰고, 에너지를 쓴다. 그 한 번의 경험을 위해 오랜 시간을 설레는 사람도 있을 것이고, 그 한 번의 경험으로 인해 오랜 기간을 살아가는 사람도 있을 것이다.

하지만 우리처럼 완성되지 않은 퍼즐들은 어떨까. 완벽한 하나의 퍼즐을 보며 그를 선망하느라 나만을 바라보는 타인의 시선을 놓친 것은 아닐까. 나를 위해 설레고, 나를 보며 살아가는 사람들을 저버린 건 아닐까. 마치 유명 화가의 평범한 그림 옆에 걸린 무명 화가의 역작처럼, 내 퍼즐에 그려진 그림을 외면하고, 내 퍼즐의 빠진 조각만을 의식하며 살고 있는 것은 아닐까. 모두가 완벽한 퍼즐을 가지고 있을 수는 없다. 하지만 자신이 자신의 그림을 인식하고, 사랑한다면 결국 서로가 조각들을 나누고 합치어 새로운, 그 무엇보다 아름다운 퍼즐 그림을 만들 수 있을 것이라 믿는다.

제7화 겨울

사실 난 어릴 적 여름을 더 좋아했다. 겨울은 단지 춥고 어두운 계절이라 생각했다. 조금 큰 후에 다시 생각해 보았을 때, 내 겨울에는 너무 아름다운, 상상만 해도 입가에 미소가 뜨는 날이 있었다. 내 기억 속에 산타할아버지에게 선물을 받은 크리스마스는 이날밖에 존재하지 않는다. 왜 다른 날은 다 잊고도 이날은 이토록 생생히 기억하는지 모르겠다.

 정확한 나이는 모르겠다. 단지 크리스마스이브에 우리 가족이 모두 식탁에 모여있고, 거실에는 언니와 내가,

엄마와 아빠가 직접 꾸민 크리스마스트리만이 홀로 빛나고 있다. 거실의 불이 꺼지고, 주방의 주황색 등이 켜진다. 책장 위 CD 플레이어에서는 내가 좋아하는 어린이 프로그램에서 제작된 캐럴 CD가 돌아가고 있다. 집 앞에 산이 보이는 터라 창밖은 온통 하얬고 그 어느 때보다 고요하다. 언니와 내가 나란히, 엄마와 아빠는 맞은편에 앉아 다 함께 코코아를 마시며 정성스레 크리스마스카드를 꾸미고 있다.

 하얀 종이에 빨간 반짝이 풀을 바른 조잡한 편지. 그날 밤에 산타가 읽었다고 믿어버린 편지. 언니와 나는 산타할아버지가 오실 시간을 드리기 위해 일찍 잠자리에 든다. 안방의 침대에 같이 누워 따뜻한 하트 무늬의 이불을 덮고. 머리맡엔 부직포로 만든 양말이, 그 안엔 산타할아버지께 드릴 편지가 있다. 편지의 뭐라고 썼었는지는 기억나지 않는다.

 단지 다음 날 아침, 눈을 뜨자마자 머리맡에 놓인 상자를 들고 엄마와 아빠에게 자랑하러 뛰어간다. 새하얀 세상과 하늘, 밝은 노래, 햇빛. 아름다운 크리스마스였고, 내가 원하던 뜨개질실이 상자 안에 들어있다. 한 실이지만 여러 색이 들어있어 무지개색 목도리를 뜰 수 있었던 실. 언니만 뜨개질을 잘하고 내겐 기회가 많지 않아 그렇게 바랐던 뜨개바늘. 물론 내 것이 생겼다고 해서 실력이 크게 늘진 않았다. 그로부터 10년 이상이 지난 지금까지도 내 뜨개 실력은 형편없다. 그럼에도 그 실로 만든 목도리들은 내 인형들의 겨울을 화려하게 장식해 주었고, 나를 누구보다 행복한 겨울을 맞은 아이로 만들어 주었다.

 지금도 눈이 오는 날이면 자연스레 이 생각이 난다. 당장이라도 집에 들어가면 펼쳐질 것만 같은 풍경이 머릿속에 그려져 추운 겨울날에도 나를 미소 짓게 한다.

제8화 어른

어른이 무엇인가에 대해 생각 해 본 적이 있다. 아마 저녁 시간에 뉴스를 보고 잠자리에 든 날이었던 것 같은데, 그날 쉽게 잠을 이루지 못했다. 어린 나이에, 단지 나이만 들면, 20살만 넘으면 어른이 되는지 밤새워 고민했었다. 그렇다면 뉴스에는 아무것도 나오지 않을 텐데. 내가 아는 어른이란 사람들은 그런 일을 할 사람들이 아닌데. 그럼 뭘까?

조금 더 큰 후에 생각했다. 어른은 학습이다. 자란다고 얻어지는 것이 아닌, 주위에 좋은 표본이 있고, 그 표본이 아이를 가르쳐주었을 때 비로소 만들어지는 것이다. 따라서 어른들에게도 배우지 못한 부분엔, 가끔은 배운 부분에서도 약해질 때면 아이 같은 면모가 남아있다. 지금은 나 나름의 어른의 정의를, 아이를 달랠 수 있는 사람으로 생각하고 있다. 어른들은 아이들이 겪는 모든 상황을 겪어왔고, 그것에서 극복하거나, 도망친 사람을 수도 없이 봐왔을 것이다. 때로는 아이들이 힘들어할 때, 그것이 별일 아니라는 것을 잘 알고 있을 것이다. 그렇지 않더라도, 우는 아이를 별일 아니라며, 자신의 두려움을 숨기고 아이의 두려움을 달래주려 애쓰는 사람이 어른이라 생각된다. 시간이 지나면, 내가 조금 더 크면 어른에 대한 생각이 변할 수도 있겠지만, 난 내가 지금 생각하는 의미의 어른이 된다면, 어른이 된 나를 진심으로 축하하고 자랑스러워하는 사람이 되고 싶다. 때로는 어린 나의 고민을 떠올리며 웃고, 어린 나의 아픔을 떠올리며 울어도 아이들의 고민을 덜어줄 여유가 생긴 사람이 되고 싶다.

제 9화 인형

어린 시절 이런 생각을 해 본 적이 있다. 인형들은 무슨 생각을 할까? 어린아이들의 품에 안겨 쓰다듬어지고, 사랑받으며 무슨 생각을 할까. 그 아이가 점점 자라 인형이 아닌 다른 친구들이 생기고, 다른 일들에 몰두할 때 인형들은 무슨 생각을 할까.

 시간이 흐를수록 사람들은 자신의 어릴 적 인형들을 잊게 되고, 대부분은 버려지거나 다른 곳으로 이동한다. 혼자 남겨져서, 장식장의 높은 자리에 홀로 앉은 인형들은 어떤 기분일까. 어쩌면 자기 주인을 다시 만나기 위해 우리가 모르는 사이에 갖은 노력을 하고 있을지도 모른다. 찬장에서 떨어지거나, 주인이 먼지를 털기 위해 찾아오기를 기다리며 일부러 더 가만히 앉아있을지도 모른다. 그게 아니라면 오히려 여러 상황을 맞닥트리고 힘들어하는 주인을 보며 자신이 더 이상 위로가 될 수 없다는 생각에 좌절할지도 모른다.

이런 생각을 하다 문득, 인형에게도 마음이 있는지에 대한 생각을 하게 되었다. 어릴 적에는 물론 당연하다 믿었지만 지금은 그것이 불가능하다는 것을 안다. 하지만 마음이 깃든 물건엔 마음이 생긴다는 말이 있듯이, 어린아이들의 순수하고 작은 마음을 오롯이 한 몸으로 다 받아낸 인형들은 아이에 대한 마음을 갖고 있을 수도 있지 않을까.

어릴 때 아주 좋아하던 인형이 있다. 세 살 때 제주도에서 사 온 곰 인형, 7살 때 놀이공원에서 산 양 인형, 12살 때 처음으로 친구들과만 간 놀이공원에서 얻은 호랑이 인형. 어쩐지 나의 인형들은 어릴 적부터 함께 추억을 쌓기보다는 중학교 이후에 받은 인형이 더 많아서, 어릴 때부터 갖고 놀던 인형들은 이 친구들밖에 없다. 시간이 지나 청색 원피스가 흰색이 되어 찢어지고, 하얗던 털이 점점 빛이 바래지만, 난 내 오랜 친구들의 마음을 지켜주기 위해 항상 눈에 닿는 곳에 두고 매일 인사를 하려고 노력한다. 그들이 나에게 어떤 마음을 품고 있을지는 모르겠지만, 적어도 나는 그들에게 아직 사랑하는 마음을 품고 있기에.

제10화 사람

  사람을 잘 사랑하는 편이다. 그 사람의 본성이 어떤지, 평판이 어떤지 알아보고 판단하기 전 내게 조금만 잘해주면 바도 좋은 마음을 품어버린다. 그 사람을 위해 궂은 일을 자처하고, 그 사람과 함께하기 위해 여러 방법을 시도한다. 그에게 많은 것을 주고 그의 소망을 들어준다. 대부분의 사람들은 이것을 좋게 받아주고, 내게 배로 돌려주려 노력한다. 그들은 날 온전히 바라보고, 날 좋아해 주지만, 물론 그렇지 않은 사람들 또한 존재한다.

  내가 사랑하는 누군가가 내게 모질게 굴고, 상처를 주

는 일이 많았다. 그 사람들은 날 이용만 하고 싶어 했고, 나는 바보 같이 그에 끌려가기만 했다. 헌데 내 성격은 단호하지 못해 혹시 그가 날 싫어하게 될까, 모든 게 단순히 내 착각일까, 그의 친구들한테 내 소문이 안 좋아져 모두와 멀어질까 두려워 그 사람을 끊어내지 못한다.

사람과 멀어지는 것을 두려워하는 편이다. 원래 소심하고 눈치가 많은 탓도 있지만, 어린 시절 온전히 신뢰할 수 있는 친구를 만들지 못한 것도 그 이유인 것 같다. 이 두려움 때문에 난 그들에게 무시당하면서도 그들과 함께하기 위해 발악하는 꼴이 되어버렸다. 그들의 눈에도 그것이 보였는지, 오히려 날 더 배척하고 무시하려 들었다. 운이 좋은 건지, 마침 그때 내 주변 환경이 바뀌었고, 새 사람들을 만났다.

처음에 보기엔 완전히 좋은 사람들은 아니었다. 전의 사람들보다 시끄러웠고, 세련되지 못했으며 인맥이 좁았다. 하지만 그들은 나를 봐주었다. 나를 그대로 받아들였고, 내 실수를 받아주었다. 여럿이 모여 목소리를 낮춰 비밀스러운 말을 하지 않았고, 누군가의 치부를 이야기하며 웃지 않았다. 전의 내가 소속하려 애쓰던

집단을 객관적으로 바라볼 수 있게 되었다. 내게 주어진 유일한 길이라 생각하고 필사적으로 매달렸던 것은 내게 매어진 녹슨 사슬이었다. 그것을 풀어내고, 비로소 따뜻한 코트를 걸친 기분이었다.

작년에는 오래 연락이 끊어진 친구에게 메시지가 온 적이 있다. 사실 작년뿐만이 아니라 이런 일은 꽤 잦았다. 그중에는 나와 별로 친하지 않다고 생각한 친구도, 나에게 상처를 줘 내가 거리를 두려고 노력했던 친구도 있었다. 꽤 당황했다. 나는 이 친구들과 다시 연락할 생각은 전혀 해보지 않았는데, 갑자기 온 몇 마디에 나는 무방비하게 멈춰서고 말았다. 그 후의 대화는 꽤 형식적으로 진행되었다.

잘 지냈니. 오랜만이다. 나중에 한번 만나자.

사실 한마디 한마디 대화를 이어 나가는 것이 힘들었다. 그다지 친하지 않았고, 솔직히 존재 자체를 잊고 있던 친구였다. 그 친구는 언제나 친구가 많았고, 나와는 조금 친해진 뒤 나를 무시한다는 것을 느껴 거리를 둔 친구이다. 그 뒤로 다시 연락이 오지는 않았다. 그 친구는 왜 그때 나에게 연락했을까? 같은 동네에서 생활하는지라 겹치는 주변인들이 많은 것으로 알고는 있지만, 주변에서 내 이야기를 듣고 오랜만에 단순히 안부차 연락을 한 걸까. 아니라면 우연히 그냥 내가 생각이 났던 것일까.

제11화 글씨

원래 글씨를 잘 쓰는 편은 아니다. 어릴 때부터 악필이라는 말을 자주 들었고, 뭐라고 쓴지 모르겠다는 반응도 꽤 자주 있었다. 나라고 그런 글씨가 마음에 들었던 것은 아니지만, 한번 버릇이 든 것을 고치기는 쉽지 않았다. 바꾸려는 시도는 잦았지만, 급한 성격 탓인지 언제나 글씨는 제 자리를 찾지 못하고 여기저기로 흩어져버린다. 마음만 먹으면 느리더라도 잘 쓸 수는 있었지만, 원체 멋진 글씨체를 가진 사람에 비해 그마저도 조잡한 꼴이었다

문학에 관심을 가지기 시작 한 뒤, 나의 글씨체를 만

들자는 생각을 갖게 되었다. 글을 읽고, 그것을 나의 언어로 직접 남기는 것은 기록 면에서도, 내 성장의 면에서도 의미가 깊은 행위일 것이다. 따라서 나는 나름 본격적으로 내 시위를 준비해 나갔다.

글씨의 모양을 분석하고, 내가 원하는 것을 택해 몇 가지 규칙들을 만들어냈다.

1. 각 글자는 오른쪽 상단을 향하기
2. 전체 글의 높이가 균일하게 유지하기
3. 각 글씨의 크기를 통일하기
4. 세로획은 빠르게 내리듯이 긋되, 날리지 않기
5. 가로획 모음이 있는 글자의 받침은 자음의 끝에 맞추기.
6. 세로획 모음이 있는 글자의 받침은 모음의 끝에 맞추기
.
.

규칙들을 부여받자 글자들은 기다렸다는 듯이 자신의 형태를 잡아가기 시작했다. 일기장에서도, 독서 노트에서도, 책에 끄적인 메모에서도.

사실 눈에 띌 정도로 큰 변화는 없다, 단지 글을 볼 때의 기분과 마음가짐 정도이지만, 이 작은 변화가 나에겐 크게 다가왔고, 새로운 취미를 만드는 데 일조했다.

제 12화 의문

의문에 대한 답을 내리는 것은 생각보다 쉽지 않은 일이다. 지금까지 쓴 대부분의 글에 풀리지 않는 의문이 수도 없이 포함되어 있을 것이다. 이런 의문들은 또 다른 의문을 낳아 내 머릿속을 잔뜩 헤집는 취미를 가지고 있는 것 같다.

궁금증이 많지는 않다. 오히려 자라면서 내 상황에만 신경을 쓰기에 급급해 다른 일에 관심을 두지 않게 되었다. 헌데 내 뇌는 아직 그것을 받아들일 준비가 되지 않았는지, 바쁘게 지나가는 일상에서도 나에게 끝없는 질문을 던지고, 그에 고찰하게 한다.

그렇다고 매일 심각하고 진지한 고민을 하고 있는 것은 아니다. 모든 의문은 내 주변의 아주 작은 일에서 시작되고, 대부분 별 의미 없이, 미약한 채로 끝난다. 답을 얻을 때도 있고, 얻지 못 함에 안도할 때도 있다. 간절히 끝나기를 바라지만 그럴수록 더욱 심각해지는 의문도 있고, 대답하지 않으려 일부러 회피하는 경우도 있다.

대개는 마음에 드는 결말이 나지 않는다. 언제나 최선의 결과만 낼 수는 없지만, 이렇게도 운이 따라주지 않는 것이 원망스러울 정도로 깨끗하게 해결되는 적이 없다.

하루 종일, 며칠 동안 고민을 하다 보면 그들이 내 생각인지, 내가 그들의 안에서 생활하는 것인지 헷갈릴 때가 있다. 이들은 마치 그것을 원하는 것처럼 다가와서 떠나지 않지만, 더 이상 생각에도 지친 나는 애써 다른 곳으로 시선을 돌리곤 한다.

보통 성공한 사람들의 이야기를 들어보면, 이런 의문들과 고민들은 결국 시간이 지나 보면 별것 없는, 단지 긴 인생에서 찰나에 지나가 버리는 현상이라 하던데,

아직 내 생각들이 사소한 것이 되기엔 시간이 충분히 지나지 않은 것일까. 이렇게 오랜 시간 가진 생각들을 그 사람들은 어떻게 찰나라며 표현하는 것일까.

 걱정에 비해 별것 아니었던 일들은 물론 많다. 그들의 대부분이 금방 잊히는 것도 당연히 맞다. 하지만 그를 안다고 해서 당장 내 앞의 사건이 후에 어떻게 기억될지를 판단하는 것은 미래에 과거를 돌아볼 나에게 너무 가혹한 판단이라 생각되어 이들을 허투루 놓치지 않으려 한다. 적어도 그때 내가 열심히 고민했고, 나로서 내놓은 회선의 결과였다고 변명이라도 할 수 있도록.

제13화 극

　오래된 취미는 아니다. 어릴 때부터 좋아했다고는 하지만 초등학교도 졸업하지 못한 어린아이가 뭘 알았을까. 그때는 단지 부모님의 손에 이끌려 공연장에 가 눈앞에 펼쳐지는 환상에 즐거워했을 뿐이다. 본격적인 시작은 아마 2019년이었던 것 같다. 당시 유명하던 공연이 특별 주년이라 선전하기에, 광고를 듣고 한번 가봤을 뿐이다.

　태어나서 처음 느껴보는 감정이었다. 심장은 멎은 듯이 조용했지만 빠르게 뛰었고, 나는 앞에서 눈을 떼지 못한 채 단지 멈춰있었다, 다른 생각을 할 겨를도 없이, 정말 단지 멈춰있었다. 그리고 곧 감격을 느꼈다. 처음 안 장르의 매력을 느껴버렸고, 그들에 대해, 그것에 대해 더 자세히 알고 싶은 소망이 생겼다. 나를 모르는 누군가를 동경하게 된 첫 번째 순간이었다. 그 뒤로 사회적 거리 두기로 인해 한동안 온라인으로만 만족해야 했지만, 그마저도 좋았다.

시간이 지나 2022년. 같은 취미의 친구를 만났다. 그 친구를 따라 오랫동안 온라인 클립만 보던 공연을 직접 보러 가게 되었다. 이번에도, 단지 입을 연 채로 앉아 아무 소리도 낼 수 없었다. 내 눈앞에 있던 그들은 빛나는 재능을 가지고 누구보다 밝게 타오르고 있었고, 나는 그들의 열정에 매료되었다. 어떻게든 그 감정들을 기억해야 했고, 이때부터 작게나마 감상문도 쓰기 시작했다.

그 후로 나는 오히려 영상매체들을 더 다양하게 관람하기 시작했다. 온라인으로만 보던 장면이 실제에서 얼마나 웅장한지, 그 장면을 보는 것이 얼마나 감격스러운지 느껴보았기에 다시 그 경험을 하기 위해, 더 많은 작품을 알기 위해 여러 방면의 영상들을 보게 되었다. 이렇게 모인 영상들은 당연히도 극에서 등장인물들이 부르는 노래로, 각각의 스토리를 지니고 있으며 우연히도 내가 힘들 때, 자신의 이야기를 조용히 읊어주며 내 옆에 앉아 친구가 되어줬다.

제 14화 영역

'영역'이라는 단어를 좋아한다. 미묘하게 부드럽고 어찌 보면 딱딱한 단어이자 서로를 존중하는 마음을 담아서 한 말. 모두가 의지하는 안전지대이자 자신을 펼칠 수 있는 공간. 타인의 영역에 자유롭게 드나드는 사람이 있는가 하면 허락 없이 남들을 침범하고 다니는 사람이 있고, 아예 타인의 영역에는 발길도 주지 않는 사람이 있다.

타인을 내 영역에 들이는 것은 결코 쉬운 일이 아니다. 누구나 혼자 있고 싶을 때가 있고, 누구나 자신만의 영역이 필요하다. 자신과의 협의 없이 그곳을 침범

당하는 것은 상상만으로도 끔찍한 일이다. 그만큼 상대의 영역을 지켜주는 것도 중요한데, 이것도 쉽지 않다. 아주 작은 말에서 시작된 일이 상대의 마음에 박힐 수도 있고, 무심코 지나친 것이 타인의 영역에 폭탄을 던져버릴 수도 있다.

제15화 일출

 가장 처음 일출을 본 기억은 할아버지댁이었다. 꽤 높은 층수에, 주변에 그만한 건물이 없어 앞이 탁 트인 집이었는데, 하루는, 새해였던 것으로 기억하는데, 유난히 눈이 빨리 떠졌다. 보통 할아버지와 엄마, 아빠가 모두 일어나 아침식사를 하신 뒤에나 나는 일어났는데, 그 날엔 엄마와 함께 일어나 거실로 나갔다. 하얀 장판 바닥과 오래된 나무 냄새가 났었다. 아직 어두운 거실 쇼파에는 할아버지가 앉아계셨고, TV에서는 아침 뉴스가 흘러나오고 있었다. 아무리 탁 트여있다고는 해도 앞에 작은 산이 하나 있었는데, 그 산 뒤로 해가 뜨는 장면을 엄마 무릎 위에 앉아 구경했었다. 내가 본 모든 것중에 가장 붉었고, 하늘은 점점 그에 물들어갔다.
 가장 최근 기억은 올해 설날이다. 할머니를 뵈러 강릉

에 왔는데, 차가 막히지 않는 시간대를 찾다보니 새벽에 도착하게 되었다. 새벽4시, 아직 한참 어두운 그 시간에 우리 가족은 바다 주차장에 도착했다. 그날은 유독 심하게 추웠는데, 차에서 자다 깬 내가 너무 추워해 엄마가 롱패딩에 목도리까지 둘러주었다.

 바다에서 보는 해는 오랜만이라 나름 설렜었다. 일출 시간이 가까워지고, 하늘이 붉어지고 있었다. 해가 모습을 드러내기 시작하고, 눈에 보이는 모든 것이 붉은 빛을 받아 반짝거렸다. 새해를 맞아 해를 보러 온 사람들, 발 밑에서 조용히 흩날리는 모래들, 띄엄띄엄 서있는 나무들, 소리 없이 빛나는 바다. 건너편에 있는 배 모형은 그림자가 져 검은 실루엣만 보였고, 그 장면은 마치 유화 그림을 보는 듯한 기분을 느끼게 하였다.

 해를 보며 딱히 대단한 생각을 하진 않는다. 신년 목표라던지, 그런건 세우지 않게 된지 오래되었다. 단지 내 눈으로 담은 그 찬란한 광경이, 그 분위기가 오랫도록 기억에 남기를 바랄뿐이다.

제16화 새벽

　오전 5시. 도시는 아직 잠들어있다. 창 밖으로 가로등 빛이 작게 들어오고, 한적한 분위기가 사방에 깔려있다. 이건 내가 하루 중 가장 좋아하는 시간이다. 그 무엇도 나를 방해하지 않고, 그저 고요히 존재할 뿐이다. 나는 차를 한 잔 타와서 책상에 앉는다. 작은 스탠드 불빛에 의존해 어젯 밤 마무리 하지 못한 일을 마저 처리하다보면 어느 새 밖이 밝아온다.

　6시. 햇빛이 거리를 비추고, 흐리던 하늘이 맑아진다. 차는 아직 따뜻하고, 그 수증기는 방의 공기를 따뜻하게 데워준다. 할 일은 어느정도 끝이 났고, 간간히 집 앞 감나무에서 새소리가 들려온다. 세상이 깨어나고 있다. 원래 기상시간인 7시까지 나는 할 일을 찾는다.

6시 30분. 아파트의 가로등이 일제히 꺼진다. 아침부터 바삐 움직이는 차 소리가 들리기 시작하고, 우리집도 새 하루를 맞을 준비를 한다. 나는 읽던 책을 덮고 나가 가족들에게 인사를 하고, 방에 들어와 씻을 준비를 하며 하루를 시작한다.

제 17화 바다

바닷가에 서 있을 때, 눈 앞의 바다는 언제나 놀라운 아름다움으로 나를 매료시킨다. 그것이 아침이든, 낮이든, 저녁이든, 밤이든, 파도는 끝없이 밀려오고 작은 모래알들을 삼켜 돌아간다.

바다는 언제나 큰 비밀을 감추고 있는 듯이 보인다. 비밀을 곱게 싸 바닷물로 덮은 뒤, 보이지 않는 세계에 보관하듯이 사람들의 시선을 돌린다. 바다의 이 신비로움은 나에게 자주 위로를 해준다. 아무리 많은바다를 봐도, 아무리 오래 바다를 보고 있어도, 같은 모양의 파도는 절대 발견하지 못할 것이다. 한번 지나간 물결은 돌아오지 않고, 그를 대하는 나의 마음도 같아야 할 것이다.

마치 파도처럼 나를 삼키려 드는 상황들은 매번 모습을 바꾸어 내가 쉽게 대처하지 못하게 할 것이다. 하지만 그럼에도 그들을 헤치고 나아가 더욱 깊은 곳으로 헤엄친다면, 언젠가는 가라앉은 해적선에서 보물상자를 발견할 지도 모르는 일이다.

제 18화 눈

올해도 어김없이 겨울이 찾아왔다. 창문으로 시선을 돌리면, 작은 눈송이들이 공중을 날며 세상을 향해 손을 흔들고 있다.

눈이 오면 온 세상이 고요해진다. 소란스럽던 도시는 숨이 멎고 가만히 눈이 바닥에 닿기만을 기다린다. 마치 시간이 멈춘 것처럼 모든 것이 순수한 흰 색으로 뒤덮여 과거의 모습을 잃는다.

어릴 적 가족들과 눈을 뭉쳐 던지던 것도, 친구들과 눈으로 집을 짓던 것도. 오래 된 기억이지만 매년 내리는 눈은 내게 그것을 상기시켜준다. 올해도 눈이 내린다. 창 밖으로 보이는 눈은 마치 겨울의 천사들이 춤을 추는 것처럼 보인다.

작가의 말

학교에서 진행하는 수필 작가반 프로그램에 친구의 제안으로 우연히 참여하게 되었는데, 내 삶을 돌아보고 다시 회상할 수 있는 값진 경험을 했다. 단순히 글을 쓰는 것이 아닌 주제를 골라 온 힘을 다해 글을 써본 것이 거의 처음이다시피 해 많이 부족하지만, 이 경험을 기반으로 글 쓰는 일에 조금 더 집중을 해 보고 싶다.

이 책은 내가 사랑하는 것들, 그리고 어쩌면 싫어하는 것들에 대해 자세하게 설명한다. 나에 대한 설명서라고도 할 수 있을 정도로 누구에게도 말하지 않은 고민들을 기록 한 글로, 나와 비슷한 사람이 있다면, 이 책으로 인해 그 사람이 나의 존재를 알고 조금이나마 위안을 받았으면 좋겠다.